SHIRLEY TEMPLE BLACK

Gloria D. Miklowitz

DOMINIE PRESS

Pearson Learning Group

Director General: Raymond Yuen
Editor Ejecutivo: Carlos A. Byfield
Diseñador: Greg DiGenti
Créditos de fotografía: Bettman/Corbis (cubierta
y páginas 7, 10, 14, 22 y 27); Hulton-Deutsch
Colecction/Corbis (página 25)

Publicado por:

℗ Dominie Press, Inc.

1949 Kellogg Avenue
Carlsbad, California 92008 EE.UU.

www.dominie.com

Cubierta de cartón ISBN 0-7685-0511-9
Libro encuadernado ISBN 0-7685-2343-5
Impreso en Singapur por PH Productions Pte Ltd
2 3 4 5 6 PH 05

Contenido

Capítulo 1

La princesita

Le decían "la princesita". Ella apareció en más de 40 películas y fue muy querida en todo el mundo. Shirley Temple nació el 23 de abril de 1928, en Santa Mónica, California. Fue la tercera de los hijos de George y Gertrude Temple.

George era dependiente de un banco y Gertrude era ama de casa.

"Corría sobre la punta de los pies como si estuviera bailando", dijo la madre de Shirley. Ella con frecuencia escuchaba el radio mientras hacía trabajo de casa. Shirley la seguía por la casa actuando y bailando al son de la música que escuchaba. Tenía una gracia natural y parecía que realmente disfrutaba moverse al ritmo de la música.

En 1931, cuando Shirley tenía apenas 3 años de edad, su madre la matriculó en la Academia de Baile Meglin. Ésta era una escuela que preparaba niños para actuar en películas y comerciales. Estados Unidos estaba en medio de la Gran Depresión. Había mucha gente desempleada. Aunque el padre de Shirley tenía empleo, le era difícil pagar por las lecciones.

Shirley Temple y sus padres, George y Gertrude

A Shirley le gustaba complacer a la gente y le encantaban sus lecciones. Ella escuchaba y practicaba mucho. Cierto día cuando tenía casi 4 años de edad, un buscador de talentos para el cine llegó a la escuela a escoger niños para ciertos papeles en películas. Su nombre era Charles Lamont, un director de Educational Films Corporation.

Lamont la aterraba, Shirley escribiría más tarde en su autobiografía. Tanto así que se escondió debajo del piano. El director se quedó observando un rato, entonces dijo, "Me llevo a la que está escondida debajo del piano".

Shirley y otros de su escuela hicieron una prueba cinematográfica para ver si eran fotogénicos. Shirley era encantadora con sus ojos vivos y pelo crespo, y con su personalidad y talento logró obtener un contrato.

Capítulo 2

Se pararon a aplaudir

Después de que se firmó el contrato, Shirley empezó a actuar en películas cortas llamadas "Baby Burlesks", en las que desempeñaba papeles diferentes. Con sólo cuatro años de edad, ella ya ganaba $10 por día de trabajo, que era mucho dinero en los años 1930.

En estas películas los niños actuaban como adultos y hacían burla de las películas de adultos. Por ejemplo, en *Kid in Africa*, Shirley desempeñó el papel de Cradlebait, una misionera en África que fue capturada por caníbales y a quien tuvo que salvar Diaperzan (Tarzán en pañales).

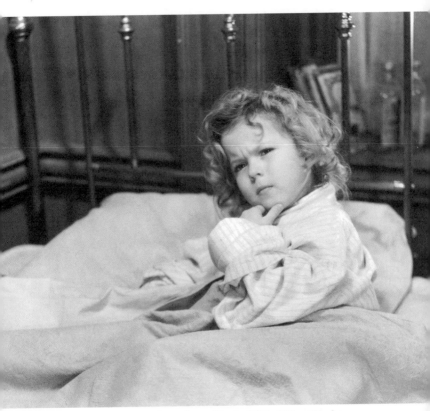

Shirley Temple en la película Little Miss Marker

En la película *Glad Rags to Riches*, Shirley desempeñó el papel de La Belle Diaper, una corista que cantó "She's Only a Bird in a Gilded Cage".

Y en *War Babies*, basada en *What Price Glory*, Shirley imitó a la actriz que representó el papel de Charmaine y recitó casi todas sus líneas en francés.

En 1932 ella desempeñó papeles en siete de estas películas cortas, y se ganó unos $300 dólares. Pero al año siguiente cancelaron la serie. Los niños artistas estaban demasiado crecidos.

Después Shirley desempeñó papeles cortos en varias películas de dos rollos. Los Estudios Fox entonces reclutaron a varios niños como cantantes y bailarines para la película *Scandals*. La madre de Shirley la llevó a una audición. Ahí atrajo la atención de Leo Houck de los Estudios Fox. Leo presentó la familia Temple a Jay Gourney, un compositor que estaba buscando una niña para cierto papel en la obra musical *Stand Up and Cheer*. Shirley obtuvo el papel.

Filmada a principios de 1934, Shirley actuó en una secuencia de canto y baile titulada "Baby Take a Bow". Las audiencias y los críticos se pararon a aplaudir.

"Vas a ser la niña más adorada de todo el mundo", le dijo el escritor Vincent Sheean.

Capítulo 3

La capacidad de irradiar felicidad

En 1934, estando bajo contrato con los Estudios Fox por $150 por semana, Shirley estaba a préstamo a los Estudios Paramount. Ahí actuó en *Little Miss Marker*. En esta película, su padre, un jugador, muere, y ella es rescatada por el dueño de la casa de

Shirley Temple y Bill "Bojangles" Robinson en la película The Little Colonel

juego, quien le brinda un verdadero hogar. ¡En ese año ella apareció en nueve películas!

En *Bright Eyes*, ella cantó "On the Good Ship Lollipop". Se vendió medio millón de copias de la hoja con la letra y música. En The Little Colonel, un drama musical que trata sobre la Guerra Civil, Shirley subió y bajó gradas bailando con el actor y bailarín Bill "Bojangles" Robinson.

Los estudios con los que trabajó Shirley estaban ganando enormes sumas de dinero. Los cines que exhibían sus películas también estaban ganando mucho dinero. Debido a ese éxito, aumentaron su salario a $3,000 por semana. Recibían más ingresos de las muñecas Shirley Temple, los libros de colorear, vestidos y otras cosas. Aún así su madre sólo le daba una asignación de $4.25 por semana a Shirley. Una niña inteligente, el coeficiente intelectual de Shirley fue calificado superior al de un genio. Ella aprendía rápidamente de "oído" los pasos de baile difíciles en vez de copiar los pasos del maestro. En *Captain January*, ella tuvo que bailar zapateando mientras bajaba 45 pies de gradas, recitando una línea en cada grada. Lo hizo perfectamente en una sola toma.

La joven actriz tenía la capacidad de irradiar felicidad y esperanza cuando el mundo estaba sumamente deprimido. El presidente Franklin D. Roosevelt dijo "Mientras nuestro país tenga a Shirley Temple, estaremos bien".

Años más tarde, Shirley dijo: "Me pongo en la categoría del [famoso perro] Rin Tin Tin. Durante la depresión la gente quería algo que los alegrara, y se enamoraron de un perro y de una niña".

En el pináculo de su fama, parecía que nada podía detener el éxito de Shirley. Pero ella estaba creciendo.

Capítulo 4

Brilla

En 1935, un año después de su asombroso éxito, Shirley Temple apareció en *Our Little Girl*, *Curly Top* y *The Littlest Rebel* en las que una vez más hizo pareja con Bill Robinson en una película sobre el Sur. Cuando presentaron Curly Top en Radio City

Music Hall en la ciudad de Nueva York, 5,000 personas asistieron a cada presentación. Afuera se formaron largas filas de personas que esperaban la siguiente presentación. También Shirley recibió un Oscar especial de la Academia por su actuación el año anterior.

El país se volvió loco por Shirley. Se vendían 1.5 millones de muñecas Shirley Temple al año. Ella recibía 5,000 cartas de admiradores por semana en su hogar. Se emplearon secretarias para contestar la correspondencia. La fotografiaban hasta 20 veces al día, más frecuente que al presidente de Estados Unidos.

Ella disfrutaba lo que hacía y trabajaba duro. Su madre siempre estaba a su lado, y funcionaba de peinadora y entrenadora. Cada noche ella ayudaba a Shirley a aprender sus líneas para el próximo día de filmación. Cuando la filmación estaba por comenzar, su madre decía "brilla Shirl".

Shirley tenía una habilidad asombrosa para concentrarse y aprender rápido. Un día típico la encontraba frente a las cámaras por tres horas. Un maestro le ayudaba con su tarea escolar durante tres horas más, por lo general entre escenas. Cuando el tiempo lo permitía, ella participaba en sesiones de fotografía y pruebas de prendas de vestir. Los fines de semana jugaba con las amistades del vecindario.

Durante los siguientes años, Shirley desempeñó papeles muy exigentes de canto y baile y apareció en más películas. Pero las películas eran muy parecidas. Un crítico dijo, "Durante dos años, Shirley ha estado haciendo lo mismo. Ofrézcanle tramas más inteligentes y mejores actores que la acompañen".

De 1936 a 1938, ella fue estrella de

películas como *Heidi*, *Rebecca of SunnybrookFarm*, y *The Little Princess*. Tenía diez años de edad y era una de las estrellas de cine más populares del mundo.

Pero para 1940, las películas de Shirley no producían dinero como lo hacían anteriormente. Ahora a los doce años de edad, casi una adolescente, ella había sido actriz durante nueve años y había aparecido en 44 películas.

Capítulo 5

Servicio público

La popularidad de Shirley Temple comenzó a decaer en 1939 y 1940. Puesto que ya no aparecía en muchas películas, disponía de tiempo para otras cosas. Su madre la matriculó en la Escuela Westlake para Niñas en Los Ángeles para que pudiera llevar una vida más normal.

Shirley Temple y sus hijos: Susan, 8;
Lori, 2; y Charles, Jr. 4, viendo televisión
en su hogar en California

Durante este período, el estudio cinematográfico Metro-Goldwyn-Mayer quería que fuera la estrella de *The Wizard of Oz*. Pero su contrato con los Estudios Fox no le permitía trabajar con otro estudio, y el presidente de Fox no dejó que se fuera. Le dieron el papel a Judy Garland en lugar de ella.

Entonces en 1940, la película de Shirley titulada *The Blue Bird*, no obtuvo ganancias. Sería la última película que haría con los Estudios Fox. Ya libre del contrato anterior, ella firmó un contrato con Metro-Goldwyn-Mayer por $100,000 por año que le permitía trabajar en radio y también en películas.

Al inicio de la Segunda Guerra Mundial, Shirley llegó a la adolescencia. Ya no podía ser estrella en películas para niños.

En 1944, ella apareció en *Since You Went Away*, una película de guerra. Los soldados le escribían solicitando su fotografía y la consideraban como su hermana menor. Un año más tarde, después de ser estrella en *Kiss and Tell*, ella tuvo que besar a unos soldados en un quiosco como acto publicitario.

Shirley se graduó de Westlake en 1945 a la edad de 17 años y se casó con el Sargento John Agar. En 1948, tuvo una hija llamada Susan. Apareció en dos películas que fueron bien recibidas, The Bachelor and the Bobby Soxer y Fort Apache, en las que actuó junto a su esposo.

Pero su matrimonio llegó a su fin en 1949, y dejó de aparecer en películas. Divorciada, y madre de una niña, decidió tomar las primeras vacaciones verdaderas de su vida. Viajó a Hawai con su hija Susan. Ella había ido antes a Hawai, pero siempre acompañada de personal de los estudios, así que no podía realmente descansar.

Su carrera de cine había llegado a su fin, pero estaba divirtiéndose de lo lindo. En Hawai conoció a Charles Black, un ejecutivo de empresa y oficial de la marina, y se enamoró. Se casaron en 1950 y ella tuvo dos niños más durante los siguientes años: Charles, Jr. y Lori.

Cuando comenzó la guerra de

Shirley Temple Black y su marido, Charles Black

Korea, a Charles lo transfirieron a
Washington D. C. Ahí, Shirley conoció
a muchos políticos influyentes y se
interesó en la política. En ese momento
también se enteró que su padre había
invertido mal la mayor parte del dinero
que ella había ganado de niña.

Al regresar a California en 1954,

Shirley recibió ofertas del cine y de la televisión. Pero ahora tenía mayor interés en el servicio público. En 1967, se postuló para el Congreso de California. Perdió la elección, pero no perdió el interés en servirle a su país.

Shirley Temple Black sirvió a Estados Unidos bajo cuatro presidentes, habiendo sido embajadora a Ghana y Checoslovaquia (y más tarde, la República Checa), representante a las Naciones Unidas y Jefe de Protocolo de Estados Unidos.

En 1983, ayudó a fundar la Academia Estadounidense de Diplomacia, la que ayuda a mejorar las relaciones de Estados Unidos con otros países. Aunque actualmente está retirada, ella ha dedicado su vida a la causa de las relaciones internacionales. La mayoría de la gente conoce a Shirley por su trabajo en las películas, pero esa era sólo una pequeña parte de lo que ella hizo por su país.

Shirley Temple Black es juramentada como delegada a las Naciones Unidas.

Glosario

academia - un tipo de escuela privada.

audición - prueba de actuación que hace un artista ante el director de un espectáculo o ante el empresario.

autobiografía - un libro que escribe una persona acerca de su propia vida; una biografía es un libro que escribe una persona acerca de otra.

bobby soxer - un término que se usó en los años 1940 y 1950 para referirse a una muchacha que no era una niña pero tampoco adolescente.

coeficiente intelectual - una medida de la inteligencia que es representada por una calificación resultante de una prueba.

contrato - un acuerdo legal entre dos personas o grupos que dice lo que cada cual debe hacer por el otro.

corista - una mujer que baila en obras de teatro y musicales.

Coronel - un oficial cuyo rango militar es superior al de teniente coronel.

Checoslovaquia - un pequeño país centroeuropeo; en 1989 se dividió en dos países diferentes: la República Eslovaca y la República Checa.

diplomacia - ciencia que estudia cómo se relacionan los paises entre sí.

director - una persona que organiza las escenas necesarias para hacer una película.

ejecutivo - un empresario de alto nivel.

embajadora - alguien que representa a una nación ante otras naciones o ante una organización global.

estrella - persona que sobresale en el cine.

estudio - un salón donde se practican y se hacen producciones como cines, bailes y otras obras; los estudios también pueden ser una colección de estos salones que pertenecen a una sola compañía.

Gran Depresión - un período de los años 1930 cuando la economía de Estados Unidos estaba tan mal que cientos de miles de personas perdieron sus empleos; después de algunas malas inversiones, muchos bancos quebraron y muchas empresas y granjas tuvieron que cerrar sus puertas.

irradia - transmite; propaga.

matriculó - inscribió.

misionero - una persona religiosa que viaja a diferentes lugares para tratar de convertir a otras personas a su religión.

película de dos rollos - película corta; un rollo de película tarda unos 22 minutos, así que una película que tiene dos rollos tarda unos 44 minutos; la mayoría de las películas tardan entre una hora y media y dos horas, lo que requiere unos seis rollos.

personalidad - conjunto de cualidades o características de una persona.

protocolo - reglas establecidas para tratar a diplomáticos de otras naciones.

salario - el pago regular que se le da a un empleado de una compañía u organización.

Sargento - en empleo militar un rango entre cabo y teniente.

secuencia - sucesión de escenas de una película.